Switzerland

Martin Renold
Alexander und Heinz Dietz

SWITZERLAND

Ein Bilderbuch
A picture-book

AT Verlag

© 2001
AT Verlag, Aarau (Schweiz)
Texte: Martin Renold
Fotos: Alexander und Heinz Dietz
Übersetzung Englisch: Kay Gillioz-Pettigrew, Freiburg,
Monty Sufrin, Bigenthal
Zahlen: Bundesamt für Statistik
Lithos: AZ Grafische Betriebe AG, Aarau
Druck und Bindearbeiten: Neue Stalling GmbH, Oldenburg
Printed in Germany

ISBN 3-85502-762-5

Ein Wort an den Leser

Sie haben dieses Buch erworben, vielleicht weil Sie als Besucher aus dem Ausland eine kleine Erinnerung mitnehmen wollen, vielleicht weil Sie als Schweizer neugierig sind, was da über Ihren Kanton oder Ihre Miteidgenossen gesagt wird. Wenn Sie das Buch nicht nur der Bilder wegen gekauft haben, seien Sie nicht enttäuscht über die Kürze der Charakterisierung oder das Fehlen manch wichtiger Informationen. Dieses Buch soll kein Führer sein, es will nicht belehren, sondern nur vereinzelte Hinweise geben und dabei auch ein wenig unterhalten. Bei dem knappen Raum konnte notgedrungen nicht viel gesagt werden, nicht einmal immer das Wesentliche, sondern das, was dem Autor beim ersten Gedanken an den entsprechenden Kanton gerade einfiel. Auch die Angaben am Rande sollten Sie nicht allzu ernst nehmen. Aus dem grossen Angebot an Sehenswürdigkeiten, Kultur- und Bildungsstätten, Persönlichkeiten usw. wurde jeweils nur eine subjektiv, ja fast willkürlich ausgewählt. So mögen zum Beispiel die Zürcher verzeihen, dass einer ihrer grössten Söhne in den Kanton seines letzten Wirkens verpflanzt wurde, und nicht vergessen, dass der bei ihnen Genannte, der Mann, der von Zürich aus wohl am nachhaltigsten gewirkt hat, eigentlich auch kein Zürcher war, sondern aus dem sankt-gallischen Toggenburg kam. Auch all die grossen Männer, die Genf hervorgebracht hat, sollen neben dem einen nicht vergessen, lediglich hier unerwähnt bleiben. Und dies gilt ebenso für all die grossen Frauen, die unser Land hervorgebracht hat, angefangen bei der legendären Stauffacherin bis hin zu einer Marie Vögtlin, der sich als erster Frau die Tore einer europäischen Universität geöffnet haben.

Lassen Sie sich, lieber Leser, also nicht schulmässig, sondern ganz ungezwungen, in Ferienstimmung sozusagen, durch unser schönes Land führen. Wir wünschen Ihnen dabei Erholung vom Alltag und viel Freude.

Autor und Verlag

Die Bedeutung
der Symbole

□ Fläche des Kantons
Einwohnerzahl
○ Hauptort
Sprache(n)
Der längste Fluss
Der grösste See
Der höchste Berg
)(Der höchste befahrbare Pass
❋ Ein beliebtes Ausflugsziel
innerhalb des Kantons
Eine Sehenswürdigkeit
♫ Ein Theater
m› Eine interkantonale
oder kantonale Messe
Ein wichtiges oder
bekanntes Erzeugnis
aus dem Kanton
Eine typische Speise
Ein typischer Leckerbissen
Ein Weisswein
Ein Rotwein
Eine historische
Persönlichkeit

5

A Word to the Reader

You may have bought this book because you are a visitor to Switzerland and want it as a memento; or perhaps you are Swiss and curious to know what is being said about your canton and your confederates. Should you not have bought the book merely for the sake of the pictures, you mustn't be disappointed by the brevity of the description or the lack of much important information. This book is not intended as a guide nor does it seek to instruct; its aim is merely to give the briefest of information and to provide a little entertainment. Since it is not possible to say very much—sometimes not even the essentials—in the limited space available, the author has simply written what first comes to mind about each canton. And the reader should not attach too much importance to the "asides" either; a wellnigh arbitrary choice has been made from among the vast number of sights worth seeing, cultural institutions, famous people, etc. Thus, the people of Zurich will forgive the circumstance that one of its most famous men has been transplanted to the canton where he worked in later life, bearing in mind that the man mentioned within the Zurich context, whose work probably left the most lasting mark, was in fact not a Zurich man at all since he originated from Toggenburg in the Canton of St. Gallen. And the mention of a single Geneva man is not to forget all the other famous men that city has produced. Of course, this applies also to all the famous women that our country has produced, ranging from the legendary "Stauffacherin" to a Marie Vögtlin, the first woman to enter a European university.

Thus, therefore, come with us in lighthearted holiday mood and allow us to show you our beautiful country. We hope this will rest you after the stress of everyday life and afford you as much pleasure as it will give us to guide you.

The Author and the Publisher

The Meaning of the Symbols

☐ Area of the canton
🏘 Population
○ Main town
⌐ Language(s) spoken
🌊 The longest river
🏞 The largest lake
⛰ The highest mountain
)(The highest vehicular pass
✳ A favourite resort for trippers
🄰 A place of interest
♫ A theatre
m> An intercantonal or cantonal trade fair
⊤ An important or well-known cantonal product
🍴 A typical dish
🥟 A typical delicacy
▮ A white wine
🍷 A red wine
👤 A historical personage

Uri

1291

Drüben über dem See, dem weit zwischen die steil abfallenden Berge hineinreichenden Arm des Vierwaldstättersees: die historische Rütliwiese, «Wiege der Eidgenossenschaft» genannt, wo die Mannen von Uri, Schwyz und Unterwalden sich ewige Treue und Hilfe gegen die Knechtschaft der Vögte schworen. Der Stier im Wappen erinnert an Wildheit und elementare Kraft, von der das Land Uri wie kaum ein anderer Kanton geprägt zu sein scheint. Reissende Wildbäche, tief eingeschnittene Täler, Föhnsturm auf dem See, bärtige Bergbauern auf den fast unzugänglichen Alpweiden, der Gotthard – sein Pass schon früh durch die Teufelsbrücke erschlossen, im 19. Jahrhundert durch den Eisenbahntunnel und in den letzten Jahren durch eine imposante Autobahn bezwungen –, dies alles ballt sich hier als gebändigte oder ungebändigte Energie zusammen.

There, beyond the arm of the Lake of Lucerne that stretches far between the steep sides of the mountain valley, lies the historical Rütli Meadow, the cradle of the Confederation. Here the men of Uri, Schwyz and Unterwalden swore the Oath of Perpetual Alliance and promised mutual aid against their oppressors, the Habsburg landvogts. The bull on Uri's flag recalls the untamed elemental forces which appear to typify the Canton of Uri more than any other. Roaring torrents, deeply cleft valleys, foehn storms over the Lake, bearded mountain farmers on the wellnigh inaccessible alpine pastures and the Gotthard Massif. The Gotthard Pass was opened up very early on when the Devil's Bridge was constructed, first for pedestrian and later on for vehicular traffic. A century ago the Gotthard railway tunnel was built and recently an impressive motorway has been added. All these elements meet here as both harnessed and unharnessed energy.

□ 1077 km²
👥 35 400
○ Altdorf
🗨 Deutsch
🌊 Reuss
🌊 Urnersee
⛰ Dammastock 3630 m
)(Susten 2224 m
✳ Rütli
♜ Tellskapelle
♫ Tellspielhaus, Altdorf
☦ Munition
🍴 Kabis und Schaffleisch
🍰 Uristierli
♛ Wilhelm Tell (13. Jh.)

Schöllenen
Seite 10: Furka-Oberalp-Bahn bei Hospental
Seite 11: Vierwaldstättersee, Dampfschiff «Gallia», Mythen

Schwyz

1291

Der fast 1100 Meter hohe Etzel beherrscht den oberen Teil des Zürichsees. Steil fällt er ab gegen die Halbinsel Hurden, die zusammen mit dem Seedamm den Obersee vom Zürichsee abtrennt. Hier ist der äussere Bezirk, der einmal Geschichte machte, als er sich vom alten Kantonsteil lösen wollte. Jener ist eben schon geografisch mehr zur Innerschweiz um den Vierwaldstättersee ausgerichtet. Der Hauptort Schwyz wird vom Grossen und vom Kleinen Mythen bewacht, doch ihre «Popularität» wird vom Berg im westlichen Zipfel des Kantons, der Rigi, die als der schönste Aussichtsberg der Schweiz bekannt ist, überboten. In der Mitte des Kantons, auf einem hoch gelegenen Plateau, liegt der berühmte Wallfahrtsort Einsiedeln mit seiner barocken Klosterkirche.

The Etzel, not quite 1100 metres high, dominates the upper part of the Lake of Zurich. It falls steeply towards the Hurden Peninsular which, together with the dam, separates the Obersee, or Upper Lake, from the Lake of Zurich proper. Here is the outlying district which once made history when it tried to break away from the main canton. Indeed, this area tends geographically to belong more to the original part of Switzerland on the Lake of Lucerne. The Grosse and Kleine Mythen stand like sentinels over the main town, also called Schwyz, but their popularity is surpassed by that of the mountain on the western tip of the Canton, the Rigi, considered to afford the most beautiful views in Switzerland. At the centre of the Canton, on a high plateau, lies the famous place of pilgrimage, Einsiedeln, with its baroque monastic church.

□ 908 km²
⚶ 129 600
○ Schwyz
⊂ Deutsch
⚓ Muota
≈ Vierwaldstättersee
⌂ Böser Faulen 2802 m
)(Ibergeregg 1406 m
✳ Rigi
⛪ Kloster Einsiedeln
♫ Bühne 66, Schwyz
⊤ Möbel
⦿ Hafenkabis
⌔ Einsiedler Schafböcke
🍺 Leutschner
🍷 Leutschner
♔ Ital Reding d. Ältere
(15. Jh.), Politiker

Hohle Gasse, Küssnacht am Rigi

Obwalden

1291

Obwalden ist ein Halbkanton. Warum dies so ist, weiss zwar niemand. Doch schon bei der Gründung der Eidgenossenschaft war von den beiden Ländern ob und nid dem Wald die Rede. Und dann zerfällt dieser kleine Halbkanton erst noch in zwei Teile: den grösseren, durch den es gleich hinter Luzern und dann am lieblichen Sarnersee vorbei zum Brünig hinaufgeht, und den kleineren mit dem Kurort Engelberg und der an kulturellen Schätzen so reichen Abtei am Fusse des markanten, mit ewigem Schnee bedeckten Titlis. Im heimeligen Hauptort Sarnen wird noch jedes Jahr eine Landsgemeinde abgehalten.

Obwalden is a "half-canton", although nobody really knows why. Even when the Confederation was founded people spoke of "ob und nid dem Wald", "above and below the forest". What is more, this tiny half-canton falls into two parts, the larger section leading just behind Lucerne and along the charming Lake of Sarnen to the Brünig Pass, and the smaller, with the resort of Engelberg and its abbey, so rich in cultural treasures, at the foot of the prominent, perpetually snowclad Titlis. The traditional "Landsgemeinde" or annual assembly of the citizens is still held in the open air every year in the charming little main town of Sarnen.

☐ 491 km²
👥 32 400
○ Sarnen
🗢 Deutsch
🚣 Sarner Aa
⛴ Sarnersee
⛰ Titlis 3239 m
)(Glaubenbüelen 1611 m
✳ Melchsee-Frutt
🏛 Benediktinerabtei, Engelberg
🕇 Kunststoff
🍽 Älplermagronen mit Apfelmus
🍰 Obwaldner Lebkuchen
👤 Niklaus von Flüe (15. Jh.), Einsiedler und Mystiker

Vierwaldstättersee, Dampfschiff «Uri», Brunnen

Nidwalden

1291

Nidwalden beansprucht fast das ganze Südufer des Vierwaldstättersees für sich. Stans hinter dem auch im Ausland als Ort wichtiger Konferenzen bekannten Bürgenstock ist Haupt- und Landsgemeindeort des Kantons, der sich durch das Tal der Engelberger Aa bis fast zum Gipfel des Titlis erstreckt. Der Pilatus, wenigstens die Luzern und dem See zugewandte und auch von der übrigen Schweiz am meisten bewunderte Seite, gehört den Nidwaldnern und nicht etwa den Luzernern. Sie dürfen nur den imposanten Anblick geniessen, der den meisten Nidwaldnern selbst verwehrt ist.

Nidwalden takes up almost all the south shore of the Lake of Lucerne. Stans, situated behind that international conference centre, the Bürgenstock, is the main town which also has its annual "Landsgemeinde". The Canton stretches along the valley of the Engelberg river, the Aa, almost to the peak of the Titlis. Mount Pilatus, or at least the side turned towards Lucerne and the Lake—the one most admired by the rest of Switzerland—does not belong to the people of Lucerne at all; they are merely allowed to enjoy the impressive view which is denied most of the Nidwalden folk who might be said to own the mountain!

□ 276 km²
38 000
○ Stans
Deutsch
Engelberger Aa
Vierwaldstättersee
Ruchstock 2812 m
)(Ächerlipass 1458 m
✳ Stanserhorn
Winkelried-Denkmal, Stans
Pilatus-Porter (Flugzeug)
Ofetori
Nidwaldner Bratchäsli
Melchior Lussy (16. Jh.), Staatsmann und Führer der katholischen Reformbewegung

Alp Feldmoos, Wetterhorn

Luzern

1332

An den Quais und in den Gassen der Altstadt Luzerns, der Hauptstadt des gleichnamigen Kantons, kann es zur Sommerszeit vorkommen, dass man ab und zu in dem babylonischen Sprachengewirr auch einmal Deutsch, die Sprache der Einheimischen zu hören bekommt. Am Ende des vielarmigen Vierwaldstättersees, dort wo die Reuss abfliesst, vor der gewaltigen Kulisse des Pilatus gelegen, kann Luzern mit einer einzigartigen Ambiance aufwarten, die ganze Heerscharen von Touristen aus aller Welt anlockt. Doch nicht nur die Stadt ist von der Natur bevorzugt, auch der übrige Kanton mit seinen malerischen Städtchen und den Wandergebieten von den sanften Hügeln um den Baldeggersee und den Sempachersee bis hinauf zum Napf und der 2000 Meter hohen Schrattenfluh hat seine Schönheiten.

In summer, along the quays and in the little streets of the old part of Lucerne, the main town of the Canton of Lucerne and a latter-day Babel, you might just possibly hear a little German, the language of the local people. At the end of the many-armed Lake of Lucerne, where the River Reuss flows against the grand backdrop of Mount Pilatus, Lucerne with its unique ambiance draws hosts of tourists from all over the world. And it is not only the town which is thus blessed by nature—the entire Canton with its picturesque little townships and the hiking regions from the gentle hills around the Lake of Sempach to the Napf and the 2000-metre-high Schrattenfluh is brimful of magnificent scenery.

◻ 1492 km²
🐿 347 400
◯ Luzern
🗨 Deutsch
🐟 Kleine Emme
🌊 Vierwaldstättersee
⛰ Brienzer Rothorn 2350 m
)(Glaubenbüelen 1611 m
✳ Bürgenstock
🏛 Kultur- und Kongress zentrum (KKL)
♫ Kleintheater, Luzern
m▸ Luga, Luzern (April/Mai)
🏺 Keramik
🍽 Luzerner Kügelipastete
🥖 Luzerner Lebkuchen
🍺 Heidegger
🍷 Rosenauer
👤 Ludwig Pfyffer (16. Jh.), Politiker, Schultheiss von Luzern, «Schweizerkönig» genannt

Stanserhorn-Bahn
Seite 20: Pilatus
Seite 21: Luzern, Kapellbrücke

Zürich

1351

Zürich ist – ebensowenig wie Genf – die Hauptstadt der Schweiz, auch wenn es von vielen Ausländern dafür gehalten wird. Zürich ist allerdings die grösste Schweizer Stadt, ihre Bahnhofstrasse – nicht nur der Banken wegen weltberühmt – gilt als eine der schönsten Strassen der Welt. Aber auch der Ausblick von der Quaibrücke, sowohl nach Norden zur Stadt wie südwärts zum See und den Alpen, entlockt den Fremden manch Oh und Ah. Mit dem nahe der Stadt gelegenen Flughafen Kloten ist Zürich zum modernen Einfallstor der Schweiz geworden. Winterthur, die zweitgrösste Stadt des Kantons, ist Sitz weltberühmter Fabrikations- und Handelsunternehmen. Von Zürich aus gegen Norden erstreckt sich der Kanton über sanftes, von Reben bewachsenes Land bis zum Rhein. Aber auch an den Hängen am Zürichsee wächst ein guter Wein.

Zurich is no more the capital of Switzerland than Geneva, in spite of the belief to the contrary held by innumerable foreigners. But Zurich is the largest town in Switzerland and its Bahnhofstrasse — famous not only because of the banks — numbers among the most beautiful streets in the world. The views from the Quay Bridge towards the north, and lake- and mountainwards to the south are also responsible for much "oohing!" and "ahing!" on the part of the visitors. With the Kloten Airport close by, Zurich has become a modern gateway to Switzerland. Winterthur, the canton's second largest city, is home to world-renowned manufacturing and commercial enterprises. To the north of Zurich, the canton stretches to the Rhine over soft expanses of vineyards. And there's good wine on the slopes of the Lake of Zurich, too.

□ 1729 km²
👥 1 210 500
○ Zürich
🗣 Deutsch
🚂 Töss
🚢 Zürichsee
⛰ Schnebelhorn 1293 m
)(Albispass 791 m
✳ Üetliberg
🏛 Sammlung Oskar Reinhart, Winterthur
🎵 Schauspielhaus, Zürich
m> Züspa, Zürich (Sept./Okt.)
⊤ Maschinen
🍽 Züri-Gschnätzlets
🥨 Züri-Tirggel
🍺 Sternhalder
🍷 Schiterberger
👤 Huldrych Zwingli (16. Jh.), Reformator

Zürich, Grossmünster

Glarus

1352

While Uri has always lain on the pulsing stream between north and south, thanks to the lines of communication over and, later on, through the Gotthard, Glarus, although topographically similarly situated, is cut off from this traffic. Mount Tödi, gleaming white, stands at the end of valley. Anyone seeking peace and quiet in summer or skiing in winter in Braunwald, inaccessible to vehicular traffic, must penetrate the narrow valley along the steep rock walls of the Glärnisch which stands guard more menacingly than protectively over the main town. Old factories remind one that Glarus was the most highly industrialized canton in Switzerland very early on. The countryside that produces the famous little Schabziger cheeses is not a dairyfarming region. The majority of the population is still engaged in industry, even if no longer exclusively in weaving and spinning.

Während Uri, seit es in die Geschichte der Eidgenossenschaft eintrat, dank der Verbindung über und später durch den Gotthard immer am pulsierenden Strom zwischen Nord und Süd lag, ist das topografisch ähnlich gelagerte Glarnerland von diesem Verkehr abgeschnitten. Ganz hinten im Tal erhebt sich blendend weiss der Tödi. Wer hier hinten in Braunwald, wo kein Auto hinkommt, im Sommer Ruhe und im Winter Skifreuden sucht, der muss das enge Tal durchdringen, an den steilen Felswänden des Glärnisch vorbei, der eher drohend als beschützend den Kantonshauptort bewacht. Alte Fabriken erinnern daran, dass Glarus schon früh der einst höchstindustrialisierte Kanton der Schweiz war. Das Land des Schabzigers ist kein Land der Hirten. Auch heute ist der Grossteil der Bevölkerung in der Industrie tätig, wenn auch nicht mehr fast ausschliesslich in Weberei und Spinnerei wie einst.

☐ 684 km²
⚭ 38 700
◯ Glarus
⬱ Deutsch
⬱ Linth
⛰ Walensee
⛰ Tödi 3614 m
)(Kerenzerberg 743 m
✳ Braunwald
🏛 Museum des Landes Glarus im Freulerpalast, Näfels
⍾ Schabziger
⏓ Chalberwürscht
◿ Glarner Pastete
🍶 Burgwegler (rar!)
🍷 Burgwegler (rar!)
⛄ Ägidius Tschudi (16. Jh.), Politiker und Geschichtsschreiber

Eglisau, Rhein

Zug

1352

Dass 1315 hier am lieblichen stillen Aegerisee die erste Schlacht der Eidgenossen gegen die Habsburger geschlagen wurde, kann man sich kaum vorstellen. Wer heute hierher kommt, sucht nicht Streit, sondern Erholung, Ruhe und inneren Frieden. Auf der anderen Seite des Zugerberges liegt der Zugersee, der einen grossen Teil des ohnehin schon raren Kantonsgebiets für sich beansprucht. An seinem Ufer liegt der Kantonshauptort Zug mit der schmucken Altstadt. Wer von diesem paradiesischen Gestade wieder landeinwärts wandert, der sieht sich bald einmal in der Hölle. Doch keine Angst – die Höllgrotten im Lorzentobel sind Tropfsteinhöhlen, die man füglich zu den «sieben Weltwundern» der Schweiz zählen darf.

It is difficult to conceive today that the first battle between the Confederates and the Habsburgs took place here, on the shores of the charming and peaceful little Lake of Aegeri–the Battle of Morgarten in 1315. People coming here today seek relaxation, peace and quiet, not conflict. On the other side of the Zugerberg lies the Lake of Zug that occupies a large part of the cantonal territory which, in any case, is in short supply. On its shores lies the main town of Zug with its particularly attractive old quarter. Anyone leaving these heavenly shores to journey inland soon finds himself in hell, although the "Höllgrotten" or Hell Caves in Lorzentobel are nothing more frightening than dramatically beautiful grottoes with many stalactites and stalagmites which indubitably qualify as one of the "Seven Wonders of Switzerland".

□ 239 km²
99 400
○ Zug
Deutsch
Lorze
Zugersee
Wildspitz 1580 m
)(Zugerberg
✳ Kolinplatz, Zug
Burgbachkeller-Theater, Zug
m> Zuger Messe (Okt./Nov.)
Waschmaschinen
Zuger Rötel
Zuger Kirschtorte
Philipp Etter (20. Jh.), Politiker, Bundesrat

Obersee, Brünnelistock

Bern

1353

Bern ist ein vielseitiger Kanton, der wie ein Riegel zwischen Ost und West sich quer fast durch die ganze Schweiz legt. Im letzten Jahrhundert waren es die Engländer, die von Interlaken aus das Berner Oberland als Touristengebiet entdeckten. Eiger, Mönch und Jungfrau wurden zuerst von ihnen besungen. Die Aare, aus der engen Schlucht hervorbrechend, fliesst durch den Brienzer- und den Thunersee, durch die gemütliche Zähringerstadt Bern, Kantons- und Landeshauptstadt, und wurde von Menschenhand in den Bielersee geleitet, an dessen Nordufer ob Twann und Ligerz ein herrlich mundender Wein wächst. Der nördliche Teil stösst heute an den Kanton Jura, der sich erst vor kurzem seine Selbständigkeit erkämpft hat und dem ehemaligen Mutterland immer noch einige französischsprachige Teile streitig macht.

Berne is a versatile canton which stretches almost the entire depth of Switzerland, dividing east from west. During the 19th century it was the English who, with Interlaken as their base, "discovered" the Bernese Oberland and made it a popular tourist region. It was they who first sang the praises of Eiger, Mönch and Jungfrau. The River Aare, springing from the narrow Aare Gorge, flows through the Lakes of Brienz and Thun, on to the friendly town of Berne, federal and cantonal capital, built and named by the Dukes of Zaehringen, whence it was channelled by human agency into the Lake of Bienne upon the northern shore of which, above Twann and Ligerz, a delightful white wine is produced. Today the northern part of the Canton is contiguous with Canton Jura which has not long ago obtained its independence and is still disputing several French-speaking areas with the parent Canton.

□ 6049 km²
945 600
○ Bern
Deutsch, Französisch
Aare
Thunersee
Finsteraarhorn 4274 m
)(Susten 2224 m
✳ Jungfraujoch
Ballenberg, Brienz
♫ Atelier-Theater, Bern
m›BEA, Bern (April/Mai)
Emmentaler Käse
Berner Platte
Berner Haselnuss-
  Lebkuchen
Schafiser
«Fürstbischof von Basel»
Jeremias Gotthelf
(19. Jh.), Erzähler

Fribourg

1481

Wer über die Saane geht, kommt vom deutschen ins französische Sprachgebiet. Die Sprachgrenze geht mitten durch die alte Zähringerstadt Freiburg oder eben Fribourg. Der Liebhaber mittelalterlicher Orte, Schlösser, Kirchen, Klöster kommt hier voll auf seine Rechnung. Gegenüber dem sanften Mont Vully thront am südlichen Ufer des Murtensees das einzigartige Städtchen Murten mit seinen Lauben, Türmen und Mauern. Ein Sonnenuntergang, vom Seeufer aus erlebt, ist unvergesslich. Auch Greyerz am Fusse des Moléson ist ein solches Bijou. Hier kann man erst noch sehen – wenn einem nicht zu viele Touristen die Sicht verdecken –, wie der Greyerzer Käse entsteht, der mit dem Freiburger Vacherin zusammen ein so feines Fondue ergibt. Und wenn Sie in einer der alten Gaststätten eine Portion Erdbeeren mit «Nidle» bestellen – die Wirte hier lassen sich nicht lumpen!

When you cross the River Saane you pass from the German- to the Frenchspeaking part of Switzerland. The language frontier cuts straight through the old Zaehringen city of Fribourg or Freiburg. The connoisseur of mediaeval towns, castles, churches and monasteries will get his money's worth here. Against the delightful backdrop of Mont Vully the little town of Murten is enthroned on the southern shore of the Lake of the same name. This little place is sheer delight with its arcades, towers and town walls. Gruyères (or Greyerz) at the foot of the Moléson is another of these jewels. Here you can even see gruyère cheese in the making if there aren't too many tourists blocking the view. Mixed with vacherin, another Fribourg cheese, gruyère provides an excellent fondue. And if you order a portion of strawberries and cream in one of the many old inns, you will see that the innkeepers come down handsomely!

□ 1670 km²
236 400
○ Fribourg/Freiburg
Französisch, Deutsch
Saane
Murtensee
Vanil Noir 2389 m
✳ Greyerz
Panorama von der Route des Alpes, Fribourg
♫ Theater am Stalden
Greyerzer Käse
Fondue fribourgeoise
Moutarde de Bénichon
Vully
Vully
Jean-Baptiste Girard, gen. Père Girard (18./19. Jh.), Pädagoge

Solothurn

1481

Der Kanton Solothurn besitzt, wenn man ihn auf der Landkarte betrachtet, eine bizarre Gestalt. Wie ein Polyp klammert er sich mit seinen Armen in den Nachbarkantonen fest. Solothurns malerische Altstadt an der Aare schliesst in ihren Mauern Gassen und Plätze voll gemütlicher Atmosphäre ein, und wenn die Sonne auf die breite Treppe der St.-Ursen-Kirche scheint, fühlt man sich beinah nach Paris zu Sacré-Coeur oder nach Rom zur Spanischen Treppe versetzt. Der Kanton geniesst die Vorzüge einer lieblichen Aarelandschaft, in der sich – bei Altreu – sogar die Störche wieder heimisch fühlen, und des Juras mit seinen zerklüfteten Felsen und Klusen, der im Herbst an Farbenpracht nicht zu überbieten ist.

If you look at the map you will see that the Canton of Solothurn has a bizarre shape. lt hangs on to its neighbours like an octopus. The walls of the picturesque old town of Solothurn on the River Aare enclose little streets and squares full of a charming atmosphere and when the sun shines on the broad steps of St. Ursen Church one might just as easily be at Sacré Coeur in Paris or on the Spanish Steps in Rome. The Canton combines the advantages of an enchanting Aare landscape–near Altreu even the storks feel at home again–with those of the Jura with its deep-cleft rocks and narrow passes whose autumn magnificence is unsurpassed.

□ 791 km²
🏘 244 200
○ Solothurn
🗣 Deutsch
🚣 Aare
⛰ Hasenmatt 1445 m
)(Weissenstein 1284 m
✳ Weissenstein
🏛 Stadt Solothurn
🎵 Kleintheater Muttiturm, Solothurn
m>HESO, Solothurn (Sept./Okt.)
👞 Schuhe
🍽 Suure Mocke
🥐 Solothurner Kuchen
🍷 Dornacher
👤 Niklaus Wengi (16. Jh.), Politiker, Schultheiss

Basel-Stadt

1501

So wie bei einer Festung die Toranlage der Mauer oft vorgelagert ist, scheint das «Tor zur Schweiz» fast schon ausserhalb der Schweiz zu liegen. Bei der Nennung von Basel denkt man wohl zuerst an die bedeutende chemische Industrie, der Schweizer vielleicht noch an den Rheinhafen, sicher aber an den «Morgestraich», den Auftakt zur Basler Fasnacht, der dem Zürcher Sechseläuten an Popularität Konkurrenz macht. Daher kommt vielleicht auch ein Teil der viel genannten Animosität zwischen den Basler Bebbis und den Zürihegeln. Es gibt aber auch von den Baslern selbst betonte Unterschiede zwischen den auf die Vergangenheit stolzen Grossbaslern auf der Schweizer Seite mit der vornehmen Altstadt, der über 500 Jahre alten Uni und dem Münster und den mehr proletarischen Kleinbaslern, Unterschiede, die auch dem Nicht-Basler nach Überschreiten des Rheins rasch auffallen.

Just as the gatehouse of a fortress often projects in front of the walls, the "Gateway to Switzerland" seems to be almost outside the country. When Basle is mentioned one might think first perhaps of the great chemical industry while, for the Swiss, it will also invoke visions of the Rhine harbour and certainly it will recall the Basle "Fasnacht" and its "Morgestraich", the 4 o'clock-in-the-morning, pipe-and-drum prelude to the carnival which competes so hotly with Zurich's "Sechseläuten" for the greatest popularity. This perhaps explains the much-discussed animosity between the "Bebbis" of Basle and the "Zürihegel". But there are marked differences among the people of Basle themselves as well, with the "Grossbasler", so proud of their past, on the Swiss side of the Rhine with its elegant old quarter, the 500-year-old University and the Cathedral on the one hand and the more proletarian "Kleinbasler" on the other.

□ 37 km²
𖢋 186 900
○ Basel
✎ Deutsch
🚣 Rhein
✳ Zoologischer Garten
🕴 Altstadt mit Münster
♫ Tabourettli
m⟩ Muba (Frühling)
♁ Pharmaka
🍴 Mehlsuppe
🍰 Basler Leckerli
🍺 Schlipfer (rar!)
👤 Leonhard Euler (18. Jh.), Mathematiker

Basel, Rhein

Baselland

1501

Im Jahre 1833 war das mehrheitlich bäuerliche Baselland von der mächtigen Handelsstadt Basel offiziell abgetrennt worden, nachdem es in den zwei vorausgegangenen Jahren zu bewaffneten Auseinandersetzungen gekommen war. Zu gross waren die Gegensätze gewesen und zu wenig hatte sich die Stadt um die Belange des abgelegenen Hinterlandes gekümmert. In den engen Tälern siedelten sich Handwerk und Kleinindustrie an, die noch heute um ihre Existenz oft hart kämpfen müssen, während die Gebiete am Rhein blühenden Grossbetrieben Platz boten. Noch heute aber kann man über den felsigen Abstürzen des Juras Stellen finden, von wo aus man kilometerweit über die dunkelgrün bewaldeten Hügel blickt, ohne auch nur die Spur einer menschlichen Behausung zu erspähen.

In 1833 the mainly agricultural Baselland was officially separated from the mighty commercial city of Basle following the armed combat that had taken place during the two preceding years. The differences were too great and the town had paid too little attention to the affairs of the isolated hinterland. Exponents of the crafts and light industry have established themselves in the narrow valleys where, even today, they have to fight hard to survive, and larger factories flourish on the banks of the Rhine. But there are still corners to be found in the rocky débris of the Jura whence it is possible to look out over kilometres of dark green wooded hills without seeing a trace of human habitation.

□ 428 km²
🏘 260 300
○ Liestal
🗣 Deutsch
🐟 Ergolz
⛰ Passwang 1205 m
)(Oberer Hauenstein 731 m
✳ Bölchenfluh
🏛 Augusta Raurica
🍸 Baselbieter Kirsch
🍽 Kalbslümmeli
🍰 Baselbieter Rahmtäfeli
🍷 Muttenzer
🍷 Kluser
🖋 Carl Spitteler (20. Jh.), Dichter

Olsberg, Jura

Schaffhausen

1501

Schaffhausen ist der einzige Kanton, der ganz auf der rechten Seite des Rheins liegt und sich – wie zwei Teile eines Puzzles – in deutschem Gebiet festhakt. Der erste Teil am Lauf des Stromes, der eben erst den Bodensee oder besser den Untersee verlassen hat, ist die Exklave, zu der das malerische Städtchen Stein am Rhein gehört. Nachdem der Fluss Schaffhausen mit seinem Wahrzeichen, dem Munot, und die Fabriken der Schwer- und Waffenindustrie passiert hat, stürzt er sich mit gewaltigem Krachen über die Felsen und bildet das vielleicht imposanteste Naturwunder Mitteleuropas. So laut das Tosen des Rheinfalls, so ruhig und sanft ist das leicht gewellte weite Land im Nordosten, wo zwischen Wilchingen und Schleitheim – «Schlaate» heisst der Ort in der «Landessprache» – ein vortrefflicher Wein wächst.

Schaffhausen is the only canton lying entirely on the right-hand side of the Rhine, firmly hooked into German territory like the piece of a puzzle. The first bit, along the banks of the river that has just left Lake Constance (called at this point the Untersee or Lower Lake) is the exclave in which is situated the picturesque village of Stein am Rhine. When the river has passed Schaffhausen with its "trademark", the Munot, and the factories of the heavy and armaments industry, it flings itself with noisy violence over the rocks, forming what is probably the most spectacular natural wonder in Central Europe. The thunder of the Rhine Falls is as loud as the broad, rolling countryside to the north-east is gentle. Here, between Wilchingen and Schleitheim—"Schlaate" in the local dialect—an excellent wine is produced.

□ 298 km²
🛉 73 400
○ Schaffhausen
👄 Deutsch
🚃 Rhein
⛰ Schlossranden 790 m
❋ Rheinfall
🅷 St. Georgen, Stein am Rhein
♫ Kellertheater «Im Fass», Schaffhausen
m> Schaffhauser Herbstmesse (Okt./Nov.)
🕇 Uhren
🍴 Rhein-Äschen
◁ Schaffhuuser Zängli
🍷 Mohrenkönig Weissherbst
🍷 Wilchinger Beerliwein
🙎 Johannes von Müller (19. Jh.), Historiker und Politiker

Rheinfall

Appenzell Ausserrhoden

1513

Der Kanton Appenzell sei ein Fünfliber in einem Kuhfladen, sagen die Appenzeller, denn das Land Appenzell wird rundum vom Kanton St. Gallen eingeschlossen. In den schönsten Gipfel der Nordostschweiz, den Säntis, müssen sich die Ausserrhödler mit ihren innerrhodischen Nachbarn und den St. Gallern teilen. Immerhin gehört der imposanteste Anblick, der von der Schwägalp aus, ihnen. Ihr Kanton wird bei Teufen zwischen der Stadt St. Gallen und dem Kanton Innerrhoden beinahe abgeschnürt. Damit beide Teile ihre Landsgemeinde haben, findet diese in den geraden Jahren im vorderen Trogen und in den ungeraden im hinteren Hundwil statt. Ihr bekanntester Volksbrauch ist das Sylvesterklausen, vor allem in Urnäsch, aber auch in Herisau.

According to the local people, the Canton of Appenzell is like a “5-franc piece in a cow pat”, for Appenzell is entirely surrounded by the Canton of St. Gallen. The people of Ausserrhoden are forced to share the most beautiful mountain in northern Switzerland, the Säntis, both with their neighbours of Innerrhoden and the people of St. Gallen. At least the most attractive view of it, seen from Schwägalp, is exclusively theirs. Ausserrhoden virtually reaches strangulation point near Teufen, where it narrows almost into non-existence between the town of St. Gallen and the Canton of Innerrhoden. To allow both parts to hold their “Landsgemeinde”, the traditional annual assembly of the citizens, this takes place in Trogen in even years and in Hundwil in odd ones. The best-known popular custom is the “Sylvesterklausen”, originally a pagan ritual for driving out evil spirits, celebrated above all in Urnäsch, but also in Herisau.

- 243 km²
- 53 600
- Herisau
- Deutsch
- Urnäsch
- Säntis 2501 m
- Schwägalp 1278 m
- Schaukäserei Stein
- Brauchtum-Museum, Urnäsch
- Kabel
- «Södworscht» mit Kartoffelsalat
- Biberfladen
- Landsgmendwy
- Wienachtswy
- Laurenz Zellweger (18. Jh.), Arzt

Schaffhausen, Rhein

Appenzell Innerrhoden

1513

Die katholischen Innerrhödler sind wie ihre ausserrhodischen Mitbürger ein eigenartiges, selbstbewusstes Völklein, ausgestattet mit viel Mutterwitz. Gifteln nennen sie's, wenn sie ihre eigenen Landsleute oder die lieben Miteidgenossen, die nahen St. Galler vor allem, aufs Korn nehmen. Ihre Landsgemeinde findet alljährlich im Kantonshauptort statt. Den Menschenschlag, den man sich landläufig unter dem Appenzeller vorstellt, das pfiffige Bäuerlein mit dem goldenen Ring im Ohrläppchen, der Tabakspfeife, dem Lindauerli, im Mund und dem Regenschirm unterm Arm, die Frauen in ihren kostbaren Trachten, findet man hier am Fusse des Alpsteins noch ausgeprägter als in Ausserrhoden. Ihre Musikalität beweisen sie in ihrer Streichmusik, einer Ländlermusik mit Hackbrettbegleitung, die nirgends sonst so zart und lüpfig ertönt.

Like their co-citizens in Ausserrhoden, the catholic people of Innerrhoden are a unique, self-confident little race, endowed with a great sense of humour. They call it "gifteln", which is as much as to say speaking with a venomous tongue, when they get the other confederates—or their own co-citizens, for that matter—in their line of fire. Their "Landsgemeinde" takes place annually in the main town of the Canton. The type of people the other Swiss generally imagine the Appenzellers to be—the sprightly farmer with the little gold ring in his ear lobe, the Lindau pipe in his mouth and an umbrella under his arm; his womenfolk in their precious traditional costumes—are to be found here, at the foot of the Alpstein. Their string music—a type of folk music with washboard accompaniment—bears witness to their musicality since it sounds sweeter and more lively here than anywhere else in Switzerland.

☐ 172 km²
👪 15 000
○ Appenzell
👄 Deutsch
🚂 Sitter
⛰ Säntis 2501 m
✳ Dorf Appenzell
🛕 Wildkirchli
🯄 Appenzeller Käse
🍴 Mostbröckli
  (Rauchfleisch)
🥐 Gefüllte Biber
🍾 Chatzemösler (rar!)
🧍 Uli Rotach (14./15. Jh.),
  legendärer Held der
  Schlacht am Stoss

Brülisau, Säntis

St. Gallen

1803

St. Gallen liegt in jenem engen Tal, wo sich einst der irische Mönch Gallus niedergelassen hatte und wo 719 ein Kloster gegründet wurde, das im Mittelalter ein Zentrum europäischer Kultur war. Die Stiftsbibliothek mit ihren über 2000 Handschriften zeugt noch heute von der Bedeutung des ehemaligen Stifts. Seit 1847 ist St. Gallen nur noch Bischofssitz. Während der Reformation war die Stadt unter ihrem Bürgermeister Vadian eine reformierte Enklave im katholischen Fürstenland. Die Türme der barocken Kathedrale und der benachbarten Laurenzenkirche symbolisieren heute das friedliche Zusammenleben der beiden Konfessionen. Weltberühmt ist die St. Galler Stickerei. Der obere Teil des Toggenburgs zwischen Säntis und den rückwärts steil zum Walensee abfallenden Felswänden ist ein ideales Skigebiet. Das Liktorenbündel im Kantonswappen steht übrigens für die 14 von Napoleon willkürlich zum Kanton zusammengefügten Bezirke.

St. Gall lies in the narrow valley where the Irish monk, Gallus, took up residence and where in 719 a monastery, which in the Middle Ages became a centre of European culture, was founded. The Abbey Library, with more than 2000 manuscripts, is testimony even today of the importance of the abbots of that time. Since 1847 St. Gall has continued only as a bishopric. During the Reformation, the city, under its mayor Vadian, was a Reformist enclave surrounded by Catholic territory. The towers of the baroque Cathedral and the Church of St. Lawrence near-by are symbols of how the two religions lived together in peace. St. Gall embroidery is world-renowned. The upper part of the Toggenburg between Säntis and the rockface descending steeply to Lake Walen is an ideal ski area. The fasces in the canton's coat of arms, by the way, represent the 14 districts which Napoleon arbitrarily joined to the canton.

- ⬜ 2014 km²
- 👥 449 800
- ⭕ St. Gallen
- 🗨 Deutsch
- 〰 Rhein
- ⛵ Bodensee
- ⛰ Ringelspitz 3247 m
-)(Schwägalp 1278 m
- ✳ Knies Kinderzoo, Rapperswil
- 🏛 Stiftsbibliothek, St. Gallen
- 🎵 St. Galler Puppentheater
- m> Olma, St. Gallen (Oktober)
- ✝ St. Galler Stickerei
- 🍴 St. Galler Schüblig mit Kartoffelsalat
- 🥟 St. Galler Biber
- 🍶 Bernecker Riesling
- 🍷 Balgacher Schlossberg
- 👤 Vadian (16. Jh.), Arzt, Humanist und Reformator

Urnäsch
Seite 52: St. Gallen
Seite 53: Werdenberg

Graubünden

1803

Drei rätische Bünde waren es einst: der Gotteshausbund, der Graue Bund und der Zehngerichtebund – drei Sprachen werden hier gesprochen: Rätoromanisch, Deutsch und Italienisch. In drei verschiedene Meere fliesst das Gletscherwasser aus dem grössten Schweizer Kanton: in die Nordsee, ins Schwarze Meer und in die Adria. Zwei Quellen – über 30 Kilometer voneinander entfernt – beanspruchen für sich, Ursprung des Rheins zu sein. Touristen streiten sich, welcher Ausblick grandioser sei, der von Muottas Muragl auf die drei Oberengadiner Seen mit der Margna im Hintergrund oder der von der Alp Grüm auf die blendend weisse Berninagruppe und steil hinunter ins Puschlav. Sie sind ein liebenswertes Volk, die wetterharten Bündner, die um die Erhaltung ihrer Eigenart und Sprache kämpfen.

What is Graubünden was once three Rhaetian Leagues—the League of the House of God, the Grey League and the «Zehngerichtebund» or League of the Ten Jurisdictions. Threee languages are spoken here—Rhaeto-Romanic, German and Italian. The glacier water flows into three different seas from the largest of Switzerland's cantons—into the North Sea, the Black Sea and the Adriatic. Two springs, 30 kilometres apart, claim to be the source of the Rhine. The tourists are always debating which is the more impressive of the two views, the one from Muottas Muragl of the three Upper Engadine lakes with the Margna as a backdrop or the other, from Alp Grüm, of the dazzling white Bernina group with Puschlav far below. They are lovable people, these hardy folk of Graubünden who are still battling manfully to maintain their individuality and preserve their lovely, lilting language.

◻ 7106 km²
⚭ 185 900
◯ Chur
🗣 Deutsch, Rätoromanisch, Italienisch
🏊 Vorder- und Hinterrhein
🌊 Silsersee
⛰ Piz Bernina 4049 m
)(Umbrail 2501 m
✳ Engadin
🏛 Kirche St. Martin, Zillis
♫ Klibühni, Chur
m> Higa, Chur (Mai)
⑂ Bündner Fleisch
🍴 Maluns
🍩 Engadiner Nusstorte
🍾 Jeninser Riesling x Sylvaner
🍷 Maienfelder
🏇 Jürg Jenatsch (17. Jh.), Bündner Freiheitsheld

Furka-Oberalp-Bahn bei Rueras
Seite 56: Tarasp, Unterengadin
Seite 57: Guarda, Unterengadin

Aargau

1803

«Den Aargauer» gebe es nicht, behaupten die Aargauer. Der Aargau ist kein homogen gewachsener Kanton. Der Osten um Baden, mehr Zürich als dem Kantonshauptort Aarau zugewandt, gibt sich weltmännisch und lebensfroh, das Fricktal, durch die Jurakette auf die Nordseite zum Rhein abgedrängt, fühlt sich oft vernachlässigt und das Freiamt der katholischen Innerschweiz verwandt. Doch Aarau bemüht sich, es allen recht zu machen. Ein Glück, dass die Aargauer im Grunde ein friedliches, gemütswarmes Volk sind. Vielleicht hat sie die Landschaft so geprägt. Sei es im kirschblütenprangenden Fricktal, an den ruhig dahinfliessenden grossen Flüssen Aare, Rhein, Limmat und Reuss, sei es am Gestade des Hallwilersees oder irgendwo dazwischen, überall atmet die Landschaft etwas von heimatlicher Scholle und friedlicher Geborgenheit.

There are no such people as "the people of Aargau" say those who live there. Aargau is not a homogeneously constructed canton. The eastern part, around Baden, oriented more towards Zurich than towards the main town of Aarau, is worldly and cheerful; the Frick Valley, pushed northwards towards the Rhine by the Jura Mountains, often feels neglected and the Freiamt regards the catholic interior of Switzerland as a closer relation. But Aarau tries hard to please all the people all the time and it is a blessing that Aargau folk are, at bottom, peace-loving and warm-hearted. Perhaps the local countryside is responsible for their pleasing disposition. Be it in cherry-blossom bedecked Fricktal, along the great, quietly-flowing rivers, Aare, Rhine, Limmat and Reuss, on the shores of the Lake of Hallwil or elsewhere in this lovely Canton, the landscape holds the unfailing promise of the quiet security that lies in one's native soil.

◻ 1405 km²
👥 545 000
○ Aarau
🗣 Deutsch
🌊 Rhein
⛰ Hallwilersee
⌒ Geissfluegrat 908 m
)(Saalhöhe 779 m
✳ Hallwilersee
🏛 Klosterkirche Königsfelden
♫ Claque, Baden
m⟩AMA, Aarau/Suhr (April)
⬆ Maschinen
🍴 Chrutwähe (Spinatkuchen)
🥐 Badener Chräbeli
▮ Schinznacher
🍷 Goldwändler
👤 Heinrich Pestalozzi
(18./19. Jh.), Erzieher und Sozialreformer

Sils Baselgia, Piz da la Margna, Oberengadin
Seite 60: Ittenthal, Jura
Seite 61: Baden

Thurgau

1803

Mostindien wird der Thurgau im Volksmund oft auch genannt. Eine Wanderung durch den blühenden Oberthurgauer Obstgarten im Dreieck zwischen Bischofszell, Arbon und Romanshorn ist ein besonderer Genuss. Da liegt das ganze Land wie unter einem Brautschleier von Milliarden Apfelblüten. Und überall zwischen den Bäumen findet man die schmucken Dörfer mit den im Thurgau so typischen Riegelhäusern mit ihrem roten Gebälk. Und hinter all dieser Pracht dehnt sich in fast unendlicher Weite der blaue Bodensee. Und wer in Gottlieben nach einem Fischessen in der Drachenburg oder einem der andern Gasthäuser das Schiff besteigt oder ein Stück weit dem Ufer des Untersees entlangwandert, wird dieses Erlebnis seiner Lebtag nie vergessen.

Thurgau is often called "Mostindien" or "Cider India" in the local dialect. A walk through the flowering orchards of Upper Thurgau in the triangle formed by Bischofszell, Arbon and Romanshorn is a very special pleasure. The entire countryside is decked like a bride in her veil with milliards of apple blossoms. And here and there, between the trees, are the trim little villages with their typical half-timbered houses and red beams. Behind all this magnificence stretch almost endlessly the blue waters of Lake Constance. And anyone who has boarded the boat in Gottlieben or taken a walk along the shores of the Lake after a meal of fish at the Drachenburg or one of the other local restaurants will have stored up an indelible memory.

□ 1013 km²
228 100
○ Frauenfeld
⇔ Deutsch
Thur
Bodensee
«Grat» (beim Hörnli ZH 1135 m)
✳ Schloss Arenenberg
Kartause Ittingen
♫ Theater an der Grenze, Kreuzlingen
m▷Thurgauer Frühjahrsmesse, Frauenfeld (März/April)
Lastwagen
Bodenseefelchen
Gottlieber Hüppen
Arenenberger
Sunnehalder
Adolf Dietrich (20. Jh.), Maler und Zeichner

Rheinklingen

Ticino

1803

Wer den von Wolken verhangenen Norden per Bahn oder Auto durch eine der längsten Tunnelröhren der Welt unter dem Gotthardmassiv verlässt, hofft auf blauen Himmel und Sonnenschein im Süden. Doch oft streichen die gleichen Schwaden um die steilen Felsen des oberen Tessins. Erst wenn er die Leventina mit ihren Kehren hinter sich lässt und nach Bellinzona mit seinen drei romantischen Burgen durch die Magadinoebene Locarno oder über den Ceneri Lugano zustrebt, wird das Wetter vielleicht so mild und lieblich wie das Gestade am See. Dies nun ist das Tessin, wie man es sich vorstellt: blauer See, Blumen, südliche Vegetation, Monte Brè und San Salvatore. Deutschschweizer und Deutsche überschwemmen dieses Paradies. Schon kann man sich ohne deutsche Sprachkenntnisse auf Strassen und Plätzen kaum mehr durchschlagen.

The traveller leaving the cloud-enshrouded north to plunge into one of the longest tunnels in the world, that through the Gotthard Massif, hopes to find blue skies and sunshine on the southern side. But the same swaths of cloud frequently drift about the steep rock faces of Upper Tessin. Only when the traveller has left the Leventina and its twists and turns and Bellinzona with its three romantic fortresses behind and is approaching Locarno across the plain of Magadino or Lugano via the Ceneri will the weather become mild and pleasant enough to match the shores of the lakes. That is the Tessin of one's dreams—the blue lake, the flowers and semi-tropical vegetation, the Monte Brè and the San Salvatore. This paradise is overrun by Swiss-Germans and Germans to the extent where it is barely possible to make one's way through the streets of Lugano without some knowledge of the German language.

☐ 2811 km²
🏘 310 200
○ Bellinzona
➥ Italienisch
🚢 Ticino
⚓ Luganersee
⛰ Rheinwaldhorn 3402 m
)(Nufenen 2478 m
✳ Isole di Brissago
🅰 Burgen von Bellinzona
🎵 Teatro Dimitri, Verscio
🍷 Wein
🍴 Risotto con Luganighe
🍰 Amaretti
🍾 Merlot del Ticino
🍷 Merlot Bianco
👤 Giuseppe Motta (20. Jh.), Politiker, Bundesrat

Lavertezzo, Val Verzasca
Seite 66: Boschetto, Valle Maggia
Seite 67: Ascona, Lago Maggiore

Vaud

LIBERTÉ
ET
PATRIE

1803

Der Kanton Waadt, das sind für den Deutschschweizer vor allem die Rebberge des Lavaux, die in der Sonne gleissenden Hänge am Genfersee, über die man – sei's mit der Bahn, sei's mit dem Auto von Freiburg her kommend – immer wieder von neuem überwältigt hinabfährt, als gelänge man ins gelobte Land. Und überall der See, der blaue Genfersee mit seinen Schlössern, vom berühmtesten – dem tausendmal kitschig gemalten Schloss Chillon – bis hinab zum Schloss Nyon. Die Waadt, das ist aber ebenso das schneebedeckte Massiv der Diablerets wie auch der raue Jura des Vallée de Joux jenseits des Col du Marchairuz, dessen grandiose Weite und herben Reiz zu beschreiben es eines eigenen Kapitels bedürfte.

For the German-speaking Swiss the Canton of Vaud is, above all, the vineyards of the Lavaux and the sunwashed slopes of the Lake of Geneva through which one travels from Fribourg by road or by rail, repeatedly overcome by the glories on all sides, as if one were journeying to the Promised Land. And at every turn there is the Lake, the blue, blue Lake of Geneva with its castles, from the thousandfold kitsch-depicted Castle of Chillon to that of Nyon. But the Canton of Vaud is also the snowclad massif of the Diablerets and the harsh Jura of the Joux Valley beyond the Marchairuz Pass, whose impressive breadth and subtle fascination would require a chapter all to themselves.

⬚ 3219 km²
🚶 621 000
○ Lausanne
🗣 Französisch
🚣 La Broye
⛰ Genfersee
⛰ Les Diablerets 3210 m
)(Col de la Croix 1778 m
✳ Schloss Chillon
♜ Romainmôtier
♫ Théâtre du Jorat, Mézières
m⟩ Comptoir suisse, Lausanne (September)
🍷 Wein
🍽 Saucisson de Payerne
🍶 Dézaley
🍷 St-Saphorin
👤 Major Davel (18. Jh.), Waadtländer Patriot und Freiheitskämpfer

St. Saphorin, Lac Léman

Valais
Wallis

1815

Andere Berge mögen höher sein, aber keiner dürfte in aller Welt so bekannt und so oft fotografiert worden sein wie das Matterhorn. Gegenüber, auf der Nordseite, versteckt sich hinter den Bergen der längste Gletscher des europäischen Festlandes, der Aletschgletscher, während der Rhonegletscher am östlichen Ende des Kantons sich auf einen kleinen Rest zurückgezogen hat und Privatbesitz eines Hoteliers ist. Mineraliensammler kennen das Wallis seiner Kristalle wegen, Kulturbewusste wissen um die Bedeutung der Abtei St-Maurice und dass Notre-Dame-de-Valère hoch über Sitten die älteste Orgel der Welt birgt. Den Amerikanern ist der Golfplatz von Crans bekannt, den Schweizern der Wein, während sie oft vergessen, dass in der fruchtbaren Talsohle Tomaten und Aprikosen meist in Überfülle gedeihen, was ihnen die Walliser immer wieder auf spektakuläre Weise in Erinnerung rufen.

Other mountains may be higher but none can be better known or so frequently photographed as the Matterhorn. Opposite, on the northern side, the longest glacier on the European mainland, the Aletsch Glacier, hides behind the mountains, while the Rhône Glacier is now no more than a mere remnant which has become the private property of a hotelier. Mineral collectors know the Valais for its crystals. Those with cultural interests are aware of the significance of the Abbey at St-Maurice and know that Notre Dame de Valère, high above Sion, houses the oldest organ in the world. The Americans appreciate the golf course at Crans and the Swiss enjoy the local wines, often forgetting that tomatoes and apricots also grow in profusion on the fertile valley floor. But the Valais farmers have often found spectacular ways of reminding them of this circumstance.

- □ 5226 km²
- 276 400
- ○ Sion
- Französisch, Deutsch
- Rhone
- Genfersee
- Monte Rosa 4634 m
-)(Nufenen 2478 m
- ✳ Gornergrat
- Stockalperpalast, Brig
- ♫ Théâtre de Valère, Sion
- m> Comptoir de Martigny (September)
- Früchte
- Raclette
- Roggenbrot
- Fendant
- Dôle
- Matthäus Schiner (16. Jh.), Bischof von Sitten, Kardinal

Neuchâtel

1815

Das reinste und schönste Französisch – nicht nur der welschen Schweiz – spricht man in Neuenburg. Kein Wunder, dass viele Deutschschweizer Eltern ihre Töchter und Söhne zur Vervollkommnung der zweiten Landessprache nach Neuchâtel zur Schule schicken. Traumhaft schön ist es hier, nicht nur in der malerischen Altstadt. Auch dem ganzen Ufer des grössten ganz zur Schweiz gehörenden Sees entlang. Über den Rebbergen geht es hinauf zum Jura, wo hinter der Vue des Alpes – der Name sagt alles – in einem 1000 Meter hoch gelegenen Tal die beiden Uhrmacherstädte La Chaux-de-Fonds und Le Locle liegen. Den Ausflug nach Les Brenets und eine Bootsfahrt auf dem Grenzfluss – dem Doubs – zwischen den senkrecht abfallenden Felsen sollte man sich nicht entgehen lassen.

The purest and most beautiful French—not only in French-speaking Switzerland either—is spoken in Neuchâtel. It is therefore no wonder that many parents in the German-speaking part of Switzerland send their sons and daughters to school in Neuchâtel to perfect their knowledge of the second national language. It is also very beautiful here; not just the old town but also all along the shores of the largest all-Swiss lake. Vineyards rise in terraces towards the Jura Mountains where, beyond the Vue des Alpes—the name is self-explanatory—the two watchmaking centres of La Chaux-de-Fonds and Le Locle lie in a valley 1000 metres above sea-level. No-one should miss the opportunity of taking a boat trip on the River Doubs, flowing between vertical rock faces and forming the frontier between Switzerland and France.

□ 797 km²
🏘 165 900
○ Neuchâtel
🗣 Französisch
🚣 Areuse
🏔 Neuenburgersee
⛰ Chasseral (sommet neuchâtelois) 1552 m
)(Vue des Alpes 1283 m
✳ Saut du Doubs
🛏 Internationales Uhrenmuseum, La Chaux-de-Fonds
♫ Théâtre de la Poudrière, Neuchâtel
m> Antiquitäten-Markt, Le Landeron (September)
♄ Uhren
🍴 Jacquerie des Vignolants
🍫 Batz neuchâtelois (chocolat)
🍷 Œil de Perdrix (Rosé)
🍾 Pinot de Cortaillod
👤 Le Corbusier (20. Jh.), Architekt

Neuchâtel

Genève

1815

Genf, die Hauptstadt eines der kleinsten Kantone der Schweiz, ist sicher – zum Leidwesen vieler Zürcher, Berner und Basler – die in aller Welt bekannteste Schweizer Stadt. Sie war zwischen den beiden Weltkriegen Sitz des Völkerbundes und beherbergt auch heute eine «Filiale», den europäischen Sitz der Uno, dazu eine grosse Zahl internationaler Organisationen, allen voran das Internationale Rote Kreuz. Hart an der französischen Grenze liegt das Europäische Kernforschungszentrum, CERN. Der Kanton, der im Süden vom bereits in Frankreich liegenden Mont Salève dominiert wird, umschliesst den westlichen Zipfel des Genfersees. Nicht nur dem Fremden, der zum erstenmal nach Genf kommt, springt das Herz vor Freude und Lust in dieser mit keiner andern Schweizer Stadt, sondern nur mit Paris vergleichbaren Atmosphäre.

Geneva, the main town of one of the smallest cantons in Switzerland, is undoubtedly the best-known Swiss city throughout the world, much to the chagrin of many people in Zurich, Berne and Basle. Between World Wars I and II Geneva was the home of the League of Nations and today there is still a "branch" there in the shape of the European headquarters of the United Nations. A large number of other international organizations also have their head-offices in Geneva, above all the International Red Cross. Hard on the French border lies the European nuclear research centre, CERN. The Canton, dominated to the south by Mont Salève on French territory, encloses the western end of the Lake of Geneva. It is not only the visitor's heart that leaps for joy at Geneva's completely un-Swiss ambiance—for it is comparable only with that of Paris.

☐ 282 km²
⌂ 408 100
○ Genève
👄 Französisch
🚂 Rhone
〰 Genfersee
✳ Chamonix (Frankreich)
🅰 Kathedrale St-Pierre
♫ Nouveau Théâtre
   de Poche, Genève
m⟩ Internationaler Automobil-
   Salon, Genève (März)
🕯 Juwelen/Schmuck
🍽 Cardons au gratin
🍰 Vue de Genève (chocolat)
🍷 Perlan
🍷 Gamay
⚱ Henri Dunant (19. Jh.),
   Philanthrop, Gründer
   des Internationalen
   Roten Kreuzes

Le Landeron

Jura

1979

Der Jura ist der jüngste der 26 Schweizer Kantone. Bis 1979 gehörte er noch zum Kanton Bern, von dem er sich nach jahrelangem hartnäckigem Bemühen gelöst hat. Noch sind die Geister nicht alle zur Ruhe gekommen. Aber was tut's! Der Kanton Jura verdient seinen Namen zu Recht. Er ist der Inbegriff des Juras schlechthin: die Franches Montagnes, die Freiberge, mit ihren weidenden Pferden und dem verträumten Etang de la Gruère, dem weitverzweigten Moorsee inmitten einer fast skandinavisch anmutenden Vegetation, das Tal des Doubs mit dem ehrwürdigen Städtchen St-Ursanne, zu dem man vom Col des Rangiers zwischen dem Hochplateau bei Delémont und der Ajoie, dem Pruntruter Zipfel, hinuntersteigt.

Canton Jura is the youngest of all Switzerland's 26. This region was part of the Canton of Berne until 1979 when it succeeded in breaking away after years of determined and often belligerent effort. Even now the dust has not quite settled—but this need not worry you—Canton Jura fully deserves its name. It is the Jura. There are the Franches Montagnes where the horses graze and the idyllic Lake of Gruère, the many-branched bog lake set amidst vegetation almost Scandinavian in character; then there is the Valley of the River Doubs with the venerable little old town of St-Ursanne into which one descends from the Rangiers Pass between the high-lying plateau near Delémont and the Ajoie, the peak near Porrentruy.

☐ 838 km²
🏘 68 700
◯ Delémont
👄 Französisch
🌊 Le Doubs
⛰ Le Raimeux 1302
)(Col des Rangiers 856 m
✳ Etang de la Gruère
🏛 St-Ursanne
ᴍ❯ Marché concours, Saignelégier (August)
♆ Vacherin Mont-d'Or
🍴 Saucissons d'Ajoie
👤 Eugène Lachat (19. Jh.), Bischof von Basel

Genève
Seite 80: St. Ursanne